Go tobann, rith smaoineamh le Cathal. Bhí sé chun cácaí a dhéanamh do Mhamaí. Nach í a bheadh sásta!

Isteach sa chistin go deas ciúin le Cathal. D'oscail sé doras an chófra. In airde leis ar chathaoir. Bhí sé ag iarraidh an pota meala a fháil. Ach bhí an tseilf ró-ard. Agus bhí an bosca calóg os comhair na meala.

Úúúps! Thit gach rud ar an urlár. An pota meala, na calóga, an plúr – gach rud! Is beag nár thit Cathal é féin. A leithéid de phraiseach!

D'fhéach Cathal ina thimpeall. Bhí plúr ar
fud na háite. Bhí a chosa greamaithe ag an mil.
"Ó bhó!" a deir Cathal.

Isteach sa chistin le Mamaí.

"A Chathail, céard atá déanta agat?" a deir sí.

"Bhí mé ag déanamh cáca" a deir Cathal.

"Cáca!" a deir Mamaí.

"A leithéid de phraiseach!"

Thosaigh Cathal ag caoineadh. Bhí sé ag iarraidh a bheith go deas le Mamaí agus cáca speisialta a dhéanamh di. Anois, bhí an chistin ina praiseach.

"Seo linn" a deir Mamaí. "Caithfimid an áit seo a ghlanadh." Chabhraigh Cathal le Mamaí an chistin a ghlanadh. Bhí Mamaí sásta arís. Bhí Cathal sásta chomh maith. Thug sé gráin mór dá Mhamaí.

Nuair a bhí an chistin glanta,
rith smaoineamh le Mamaí.
"A Chathail!" a deir sí.
"Seo linn. Déanfaimid
brioscaí!" Bhí Cathal
chomh sásta le rí.

Chuir Cathal air a náprún agus thosaigh sé ag meascadh.
Bhí spúnóg adhmaid aige. Is é a bhí ag obair go crua!
Ansin, chuir Mamaí na brioscaí san oigheann chun
iad a chur ag bácáil.

Ba ghearr go raibh na brioscaí réidh. "A Dhaidí!" arsa Cathal. "Ar mhaith leat briosca?" Amach leo sa ghairdín le picnic a bheith acu. "Cé a rinne na brioscaí áille seo?" arsa Daidí.

"Mise!" arsa Cathal.
"Mise agus Mamaí."
Bhí Cathan an-bhródúil
as féin.

Ar ball, bhí Cathal ag déanamh cácaí gainimh.
Ba bhreá leis a bheith ag bácáil. "A Mhamaí, a Dhaidí!"
a deir sé. "Seo libh – tá sé réidh!" "Céard atá déanta agat?"
a deir siad. "Cáca!" arsa Cathal.
"Cáca speisialta do Mhamaí."

Foilsithe den chéad uair ag Éditions Chouette,
Québec, Ceanada faoin teideal *Caillou: les dégats* © 2007
CAILLOU © (2010) Les Éditions Chouette (1987) Inc.
CAILLOU ® est une marque de commerce appartenant aux Éditions Chouette (1987) Inc.
Leagan Gaeilge ©2010, Futa Fata

Téacs: Nicole Nadeau
Maisiú: Pierre Brignaud
Dathadóireacht: Marcel Depratto
Stiúrthóir Ealaíne: Monique Dupras
Leagan Gaeilge: Tadhg Mac Dhonnagáin
Clóchur Gaeilge: Anú Design

ISBN: 978-1-906907-22-8

Foras na Gaeilge

Gabhann Futa Fata buíochas le Foras na Gaeilge faoin tacaíocht airgid

Futa Fata,
An Spidéal,
Co. na Gaillimhe.
www.futafata.com